BOUCLE D'OR
et les trois ours

RACONTÉ PAR ROSE CELLI

D'après la tradition russe

IMAGÉ PAR GERDA MULLER

Père Castor
Flammarion

© Flammarion 1956 pour le texte et l'illustration – Imprimé en France
ISBN : 978-2-0816-0101-7 – ISSN : 1768.2061

BOUCLE D'OR était une toute petite fille
aux cheveux bouclés et dorés,
qui habitait avec sa maman
une maisonnette près du bois.
« Boucle d'or »,
lui avait dit la maman,
« ne t'en va jamais seule au bois.
On ne sait pas ce qui peut arriver,
dans le bois,
à une toute petite fille. »

Un jour,
comme elle se promenait
au bord du bois,
au bord seulement !
Boucle d'or vit briller sous les arbres
une jacinthe bleue.
Elle fit trois pas dans le bois
et la cueillit.

Un peu plus loin,
elle vit une jacinthe blanche,
plus belle encore que la bleue.
Elle fit trois pas et la cueillit.
Et, un peu plus loin, elle vit
tout un tapis de jacinthes bleues
et de jacinthes blanches.
Elle y courut
et se mit à faire un gros bouquet.

Mais quand elle voulut sortir du bois,
tous les chemins étaient pareils.
Elle en prit un au hasard
et elle se perdit.
Elle marcha longtemps, longtemps…

À la fin, bien fatiguée, bien triste,
elle allait se mettre à pleurer quand,
soudain, elle aperçut à travers les arbres
une très jolie maison.
Toute contente, Boucle d'or reprit courage
et alla vers la maison.
La fenêtre était grande ouverte.

Boucle d'or regarda par la fenêtre.
Et voici ce qu'elle vit :

L'une à côté de l'autre, bien rangées,
elle vit trois tables :
une grande table,
une moyenne table,
et une toute petite table.

Et trois chaises :
devant la grande table,
une grande chaise ;
devant la moyenne table,
une moyenne chaise ;
devant la petite table,
une toute petite chaise.

Et, sur chaque table, un bol de soupe :
un grand bol sur la grande table ;
un moyen bol sur la moyenne table ;
un petit bol sur la toute petite table.

Boucle d'or trouva la maison
très jolie et très confortable,
sentit la soupe qui sentait bon, et entra.

Elle s'approcha de la grande table,
mais, oh !
comme la grande table était haute !

Elle s'approcha de la moyenne table,
mais la moyenne table
était encore trop haute.
Alors elle alla à la toute petite table,
qui était tout à fait juste.

Boucle d'or voulut s'asseoir sur la grande chaise,
mais voilà : la grande chaise était trop large.

Elle essaya la moyenne chaise, mais crac...
la moyenne chaise n'avait pas l'air solide ;

enfin elle s'assit
sur la toute petite chaise,
et la toute petite chaise
était tout à fait juste.

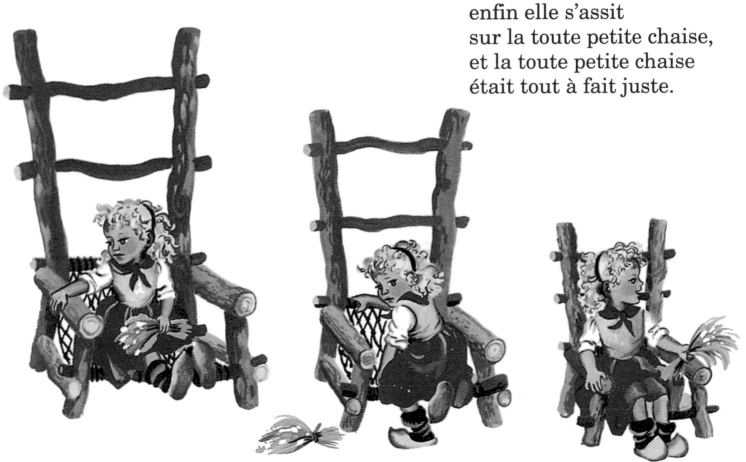

Elle goûta la soupe,
mais, aïe !
comme la soupe du grand bol
était brûlante !

Elle goûta la soupe
du moyen bol,
mais, pouah !
elle était trop salée.

Enfin, elle goûta la soupe
dans le tout petit bol,
et elle était tout à fait à point.
Boucle d'or l'avala
jusqu'à la dernière goutte.

Boucle d'or se leva,
ouvrit une porte,
et voici ce qu'elle vit :

elle vit, bien rangés,
l'un à côté de l'autre,
trois lits :

un grand lit ;   un moyen lit ;   et un tout petit lit.

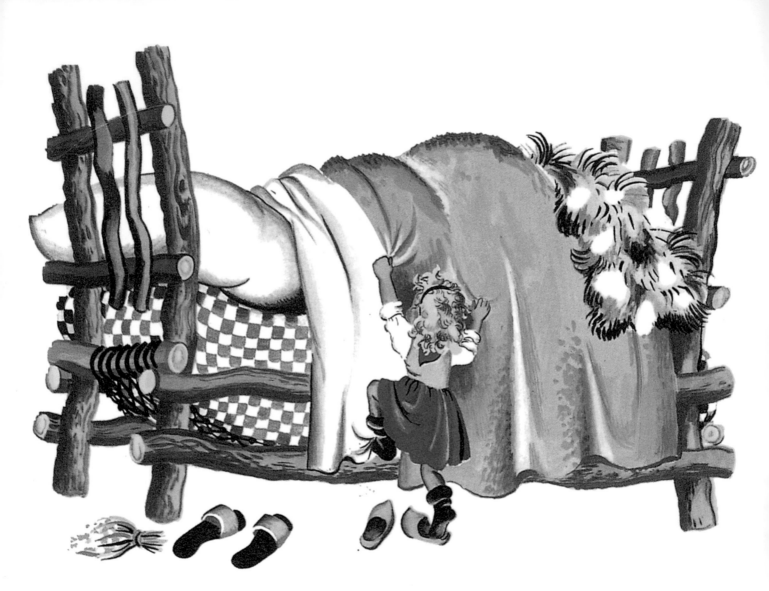

Elle essaya d'atteindre le grand lit, mais il était bien trop haut.

Le moyen lit ?
Peuh !
il était trop dur.

Enfin, elle grimpa
dans le tout petit lit
et il était tout à fait juste.
Et Boucle d'or se coucha
et s'endormit.

Cependant,
les habitants de la jolie maison
revinrent de promenade,
et ils avaient très faim.
Ils entrèrent,
et voilà :
c'étaient trois ours !
un grand ours ;
un moyen ours ;
et un tout petit ours.

Et tout de suite, le grand ours cria, d'une grande voix :

« Quelqu'un a touché à ma grande chaise ! »

Et le moyen ours,
d'une moyenne voix :
« Quelqu'un a dérangé
ma moyenne chaise ! »

Et le tout petit ours,
d'une toute petite voix, dit :

« Quelqu'un s'est assis dans ma toute petite chaise ! »

Puis le grand ours regarda son bol et dit :
« Quelqu'un a regardé ma soupe ! »
Et le moyen ours :
« Quelqu'un a goûté à ma soupe ! »
Et le tout petit ours regarda son bol
et se mit à pleurer :
« Hi, hi, hi ! quelqu'un a mangé ma soupe ! »

Très en colère, les trois ours se mirent à chercher partout.

Le grand ours
regarda son grand lit et dit :
« Quelqu'un a touché
à mon grand lit ! »
Et le moyen ours :
« Quelqu'un est monté
sur mon moyen lit ! »

Et le tout petit ours cria, de sa toute petite voix :

« Oh ! voyez ! Il y a une toute petite fille dans mon tout petit lit ! »

À ce cri, Boucle d'or se réveilla et elle vit les trois ours devant elle.

D'un bond, elle sauta à bas du lit, et, d'un autre bond, par la fenêtre.

Les trois ours,
qui n'étaient pas de méchants ours,
n'essayèrent pas de la rattraper.
Mais le grand ours lui cria
de sa grande voix :
« Voilà ce qui arrive
quand on n'écoute pas sa maman ! »

Et le moyen ours,
de sa moyenne voix :
« Tu as oublié
ton bouquet de jacinthes,
Boucle d'or ! »
Et le petit ours,

de sa toute petite voix,
eut la bonne idée de crier aussi :
« Prends le tout petit chemin
à droite,
petite fille,
pour sortir du bois. »

Boucle d'or prit le tout petit chemin à droite,
et il conduisait bien vite hors du bois
et juste à côté de sa maison.

Elle pensa : « Ce tout petit ours a été bien gentil.
Et pourtant, je lui ai mangé sa soupe ! »

Imprimé par Pollina, Luçon - L56337, France 02-2011 - Dépôt légal : 3ᵉ semestre 1956
Éditions Flammarion (Nº L.01EJDNFP0101.C045), 87 quai Panhard-et-Levassor, 75647 Paris Cedex 13